Décadas
Poesía Reunida, 1983-2003

J. Ocaña

CRATER PUBLISHERS, LLC
EDICIONES DEL CRÁTER

EJE TRANSATLÁNTICO NUEVA YORK-LA CORUÑA
DICIEMBRE 2015

Ediciones del Cráter · Eje transatlántico Nueva York - La Coruña
Contacto: delcrater_ediciones@yahoo.com
Visítenos en www.delcraterediciones.com

ISBN-10: 0-9971753-0-3
ISBN-13: 978-0-9971753-0-1
Primera Edición, papel color, diciembre 2015, 62 páginas
Printed in the United States / Imprimido en los Estados Unidos

Décadas: Poesía Reunida, 1983-2003

Recopila este volumen una selección de poemas escritos entre los años 1983 y 2003. La variedad de temas, de tonos y de aproximaciones métricas y estilísticas que se combinan a lo largo del poemario se debe claro está a la dispersión (mejor sería hablar de *dilatación)* cronológica. Esta dilatación temporal explica también el abanico de influencias y modelos que se observan: desde la provocación innovativa de los novísimos o el surrealismo, y el existencialismo desgarrado de un César Vallejo, en los poemas de juventud; a la evocación del lenguaje figurado de la Generación del 27 y la desilusión barroca por el pasar continuo del tiempo, en los poemas de madurez. Espero que el lector encuentre sin embargo ese hilo conductor que guía la mente creativa; hilo que a veces, encerrado el poeta en la trampa de su propia mente (esa caja negra de sus ideas y experiencias vitales: la "masa de estaño" a la que se alude en uno de los poemas) se enmaraña. Entonces, tristemente, sólo el propio autor es capaz de deshilvanar el ovillo.

Se une a la dilatación cronológica la dilatación o dispersión geográfica. Representan los poemas seleccionados la diáspora experimentada durante muchos años. Esta estuvo anclada en los tres vértices del triángulo que forman Galicia, en España; Bretaña, en Francia; y Athens y Boston, en los Estados Unidos. El incansable vagabundeo físico, el trajinar geográfico y material, conlleva por supuesto peregrinaje espiritual, emocional y cultural, marcando sobremanera el trazado poético de −en particular− los últimos trece años que comprende *Décadas.*

Denunciaba Robert Graves en *La diosa blanca* que la poesía, despojada tanto de su carácter sagrado como de su valor sacramental, ha perdido relevancia en el mundo contemporáneo. De eso no cabe duda.

Pero ello no justifica el detenerse de la práctica poética, ni reduce el valor universal que se le supone al verso bien madurado. Este poemario en particular cree haber cumplido dos de los objetivos mayores que todo acto de escritura intenta cumplir. El primero es catártico: los poemas aquí recogidos facilitaron, en su momento y de manera inapreciable, la difícil tarea de la articulación intelectual y de la liberación emocional del alma conjogada o dolida. El segundo es mnemónico: el continuo almacenar experiencias –se agolpan unas encima de otras como los sillares de una catedral ibérica— produce el olvido. Y hay que olvidar, porque es necesario no parar de seguir viviendo. Pero también hay que dejar constancia por escrito de la experiencia vivida: cada verso es uno de esos sillares que estructuran el edificio del recuerdo –que es lo mismo que decir que cada poema es un signo que descodifica una pieza precisa de nuestra identidad.

Por tanto, si el deber de la escritura es por un lado recordar y por el otro dar salida a la expresión emocional e intelectual del individuo, podemos afirmar con orgullo que al menos *Décadas*, con mayor o menor acierto estilístico y literario, completó a la perfección ambas misiones.

Greenwich, Connecticut (EE. UU.), Acción de Gracias 2015

LOS OJOS DEL POETA MALOGRADO

Olas tiene el mar, olas tiene el cielo:
Alas blancas esconde la noche boca arriba
Queman las gentes cantos de tristeza y esperanza
Mármol lucen los campos recubiertos de invierno.
Parecen clavos sueltos sujetar de los hombres las vidas.
Alas, olas, clavos, cantos, mármol...
Vino, sangre y tumba: tal es su cuerpo.
Gritos alrededor, silencios, verbo.
Atraviesan su mente versos lentos.

PRESTIDIGITACIÓN Y COSTURA

Cómo se hilan los días,
cómo se hilan...
Lento el tapiz de Penélope
lenta la flecha del tiempo
se desgranan.
Breve es la vida del hombre que vive.

¿Cómo se hilan los días?
Como se agolpan los frutos:
por arte de magia.
Magia los días, magia las vides.
Ilusión: zurzido el manto,
ya ni hay madeja...
No hay madeja
ni telar.

¿Y qué es ese eco
ese eco...?
Es el tambor de la muerte
que redobla
que redobla.

ENERO EN BOSTON

Deshiela. Parece que el fin del mundo
ha vuelto a llegar. El mundo: las calles
en trozos de barro se quiebran. Bultos
de hielo filtran la luz de la tarde.

Camino despacio, surco la acera
ennegrecida. Sucesión de caos,
se agolpan dispersos restos de guerra.
Se ven hermosos al sol sin embargo.

Ferralla, sicofantes, pecios, agua
anuncian deshielo, fin del invierno.
Mi vida se funde, gira así, crece

como de errores inmensa una fragua.
Se mezclan la arena la nieve el tiempo:
deshiela ya. Por fin eso parece.

CORAZA

Días grises traen grises nubes
Y tristes sentimientos.
Días grises pasan cubriendo el cielo,
Como cubren las uvas las vides
Y los campos las ramas de encinas.
Nubes grises filtran colores, lluvia:
Llueven lúcidas ráfagas de aire,
Fuego en el alma abrasada en la inercia
De la vida gastada.
Como ayer, hoy y mañana,
Llueve pidiendo olvido.
Como cien días antes,
A la lluvia, a la furia, a la muerte
Sobrevivo entre las gotas, metálico.

MUNDO APARTE

La Rue du Collège (Vitré, Francia)

Este silencio,
Este silencio antes de la tormenta
Del magisterio escindido
Del sordo coro mundano.

Este silencio,
Grávido como lastre el peso de las aguas
En el fondo oculto de un río
Liviano como un ave de granito.

A ratos se impone el regreso
Al movimiento
La vuelta al mundo de los vivos
(Los hombres que trabajan, crecen, se reproducen).

Este silencio, tan necesario
Para toar de mi mente las líneas
Para arrancar del orden gris del numen
los pensamientos.

Este silencio (tan necesario),
El último refugio del poeta
La última trinchera del lector
La soledad.

Parece una casa de vidrio
Negro, una masa de estaño
El Sueño de la creación
Las ilusiones.

DESTINO

Para M.-C., en su día en nuestro décimo aniversario

Diecinueve de mayo. Primavera.
Fue sublime pavesa aquella tarde
aquella tardecita en que inmolé
entonces sin saberlo para siempre
mi soledad de cometa esteparia.
Mi estela luminosa se fijó
al trazo de tu suerte. Primavera.

Como dos Juanas de Arco sonreímos
en la pira nosotros. Lo imposible,
el Sur debimos ver en el incendio
del Sur octogonales flores rojas
y no el futuro infierno del combate.
Hace diez años y aquí estamos juntos
más fuertes, más hermosos. Primavera.

CIVILIZACIÓN Y BARBARIE

"La guerra es hacer lo imposible para que pedazos
de hierro entren en la carne viva"
(André Malraux, *La Esperanza*)

Cielo estrellado del caos humano
La guerra.

Soldados astillas fugaces
Combustión de la carne fresca
La guerra la guerra.

Un viento fluido de furia:
El viento, el grito, la herida
El viento, el grito, la herida...

Invierno salido del éter
Serpiente versátil avanza
La guerra la guerra la guerra
La guerra de los hombres.

11 DE SEPTIEMBRE

Ligera como granito
Es la estructura del viento
Calendario, destino, locomotora-tiempo
GranitoVientoAluminio.
¿Es que el viento se ha vuelto gravísimo
El aire la cadencia del cielo?
¿Es que se ha vuelto el sol de golpe espeso?
Saltan ángeles desde las esquinas
De estos dos edificios,
Bien arde el mundo y rápido se criban
Se depositan en el suelo
La ceniza de los días
La ceniza de los días.

MEMORIA COLECTIVA

"El oprobio es la forja más terrible del mundo"
(Xavier Pedretti, *Almas humanas*)

Calamidades de la historia
Mecánica mundana
El Holocausto:
Las piedras
Las piedras cantan
Escribe el poeta Celan
Al perderse en la nada
(Desfiladero del abismo).

Las piedras
Las piedras se hunden
-Estrellas, yunques de rocío-
Sueñan anaranjados campos de trigo
En junio.

E ingrávidas flotan sus almas
Chispas de fuego fatuo.

DIOS
(*Soneto Imperfecto*)

Altera el tiempo viejo artero
que ensaetas de hiel mis manos blancas,
vil haltera que almas pobres levantas,
atleta astuto del ardid certero.

Feroz rey, por la dimensión del cielo
y del infierno, hábil en finanzas,
yo te aprendí a dudar en enseñanzas,
tempranas como del amor sincero.

Del mar ves sus temores y del viento
ahogando sus sollozos le provocas
un gemido, si digo "te amo" miento:

te temo y te espero y gasto mis horas
orando y te busco con sentimiento
inútil: eres Dios que a todos malogras.

SOL DE PRIMAVERA

Perplejo sol de primavera
carcasa etérea de color
carcasa etérea etérea etérea...
Los pasos silenciosos de la bóveda altiva
los recitas tú, peregrino,
caricia cósmica, Calcante,
cíclope del desbordamiento
de vida renacida.

RUINAS CIRCULARES

I

¿Los días?
¿Dónde están los días?
Como los vientos
Las rosas
Perdidos.

II

Vértigo
Es la certeza
De la cascada que dirige al río
En su caída limpio de camino
Hacia el cálido océano.

III

Seamos sensatos:
la tenacidad
oscura y ciega
de las cosas
siempre te enreda.

IV

El hombre: cráter, ángel, perla y luz
Noche y día, ciclón y voz
Feudo de fuego e inconstante barniz
historia tenaz y ciencia ficción.

V

Solitarios momentos de color
Ocre la creación
(El tiempo el mar las cosas el hombre)
De la vida el revólver.

VI

Eneida VI, 282-284

A veces: escondido
Entre puestas de sol
Me olvido de quién soy
Y tras un cirio que cuelga del olmo
Yo me sumerjo con el pelo al viento
En los arenales del sueño.

VII

No existe pozo negro más profundo
Que el negro corazón
De un hombre
Contradictorio.

BULERÍAS POR SOLEÁ

Para Yannick Kerneur

Atardece:
Gira el torno de la noche
ya se ocultan los olivos.
Ratatá: suena el cajón
-vertiginoso el cajón-.
Metralla de estrellas fugaces:
ratatatá-bum-tatá.
Los golpes del ritmo son ecos
del compás profundo del hombre.

Sigue atardeciendo:
cae el sol y los sonidos
en los acantilados de la tierra.
Y ya entra la guitarra
limpia como ojal de carne:
un mar un torrente un río
cañada de gotas puras
y estandarte cristalino,
la guitarra,
cáñamo y bastón del cante.

-Déjame desgranar, primo,
cierra los ojos que sueño
sueño que una niña corre
corre por el blanco campo
campo que al fondo se pierde
en el negro de mis trastes.
Que me dejes desgranar,
primo, te digo...
-Desgrana, primo, desgrana
tus manos como serpientes
por el negro de tu báculo:
tus manos son madreperlas
cubiertas de miel y nácar.

Atardece con mesura:
ritmo entrecortao de precipicio.
Ya surge la voz del hombre.
Es el cante baluarte
contra ofensivas de pena,
géiser de luz, bocanada
del hondo dolor de todos.
Compañero,
entona con solera, que el cante es compañía.
Y una copita de ojén
que es bien profunda la herida.

Canto y en mi cante veo
el color azul del cielo
del pueblo cuando era niño,
y la costa interminable
del pueblo dónde fui niño.
Qué silencio, de repente.
Y el primo que ajusta el timbre,
negocia el cambio de tono
como un diestro templa al toro.
¡Qué vértigo este la, y ese la sostenido!

Atardecer de arenisca,
de voces y luna sola:
hay en los versos lentos
restos ciertos de Lorca.
Sé sensible, compañero,
y entona con solera, que el cante es bulería,
dale porque este palo es del arte la cima:
las más altas torres del mundo.
¿Por qué lo veo yo al pueblo
con los ojos como estoques,
y aquél estrellas fugaces
y tú a esa niña en la noche?

Atardece lentamente
-en la playa, en el patio, en la encina-.
Ya se ocultan los olivos
al ritmo
del palmeo
sordo
al ritmo
del palmeo
de unas
bulerías.

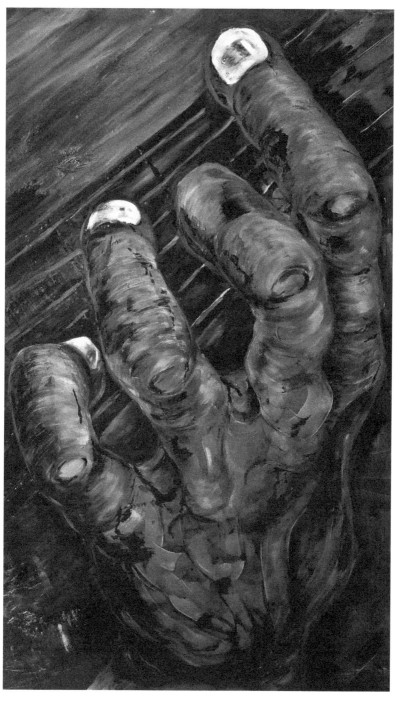

TALLER DE IMPROVISACIÓN

BUM BUM BUM BUM BUM BUM (SiEmPrE eL mIsMo RiTmO...)
BUM BUM BUM BUM BUM BUM (SiEmPrE eL mIsMo...)
BUM BUM BUM BUM BUM BUM (SiEmPrE eL mIsMo RiTmO...)
BUM BUM BUM BUM BUM BUM (SiEmPrE eL mIsMo...)
BUM BUM BUM BUM BUM BUM (SiEmPrE eL mIsMo RiTmO...)
BUM BUM BUM BUM BUM BUM (SiEmPrE eL mIsMo...)
BUM BUM BUM BUM BUM BUM (SiEmPrE eL mIsMo RiTmO...)
BUM BUM BUM BUM BUM BUM (SiEmPrE eL mIsMo...)
Siempre el mismo ritmo agotará mi cabeza.

QUIRÓFANO

*Para Roberto Méndez: gran amigo,
cirujano de postín, excelente playista*

La mar
La mar de operaciones lisa mesa.
Va y viene el escalpelo de las olas.

La sangre:
lo blanco de la espuma
lo blanco de la espuma.

El cielo
cien proyectores refulgentes
-bóveda acristalada, pabellones gigantes-.

Y el sol...
ráfagas de anestesia,
el sol.

Son los cuerpos de bronce de la orilla
los bañistas
-olivares desnudos-
las mil manos del cirujano.

NIÑEZ

Vuelan las almas, los niños, los días.
Sale despedida como una flecha
la infancia. Pasa el tiempo: es una brecha
hecha de lloros, de arena, de risas.
De seca tierra insomne, de alegrías.

Visto y no visto, llega la condena:
Mienten los que dicen que son eternas
las posibilidades de la vida.

TRÓPICO

En Santiago de Veraguas, Panamá

Destrozo todo lo que toco:
Hermético como una losa
Efímero como la rosa
Aplicado como el ciclón.
Todo lo destrozo.

Y soy preciso como el viento
que todo lo sabe
que todo lo barre.
Y como la lluvia constante
que todo lo toca
el cálido Trópico.

TODAS LAS COSAS

¿Cuál es el fundamento del agua? ¿Nace eterna?
¿Rejuvenece a cada instante? ¿Se renueva
como el vino cada año por una fuerza externa
(mitad sol, mitad tierra)?
                  Da igual que en lluvia llueva,
que en nieve nieve, a chuzos caiga. Dulce o salada
espuma, frágil gota o indestructible acero,
poco importa que muera: da igual que sea alada
mortal materia prima de inmortal alfarero.

LOS PÁJAROS

"Le monde est à nous"
Graffiti escrito en el apeadero SNCF de Saint-Pierre-la-Cour,
pueblo perdido en el departamento francés de la Mayenne
(población 1.845 habitantes)

Prodigio:

Los pájaros

quieren reformas que alteren el cielo.

Reformas:

Más aire blando, más blanco, más cambios.

Lo quieren todo.

Piden medidas que agranden su reino

las quieren sus alas, lo quieren todo.

Son aves:

Surcan las nubles claras, cavan el éter denso

con el peso de sus picos inmensos

se abren camino.

Son metálicos los pájaros hoy,

agónicos. Son aves del futuro.

¿Se quemarán los ojos? ¿Explotarán sus alas?

Se beberán su sangre, vaticino:

Ególatras y jóvenes gigantes,

son postmodernos los pájaros nuestros.

HOLD-UP
(ATRACO)

Mediodía. Y el sol reventaba
Los cristales del banco.
¿Qué salga con las manos en alto?
Rendirse es de cobardes.

Se puso en la sien el revólver,
Se oyó el sonido del aire flotando.
Nunca tuve miedo a la muerte,
Y nunca lo tendré
Dijo abriendo los brazos
En cruz como las aspas de un molino.

Acarició su pulgar el tambor,
Chispas saltaron del odio en sus ojos:
Ni miedo tengo a dejar este mundo.
Al soltar al rehén
Dos disparos sonaron
-Incomprensible del todo el segundo-
De rojo imantando el cielo azulino.

EL SITIO DE MARSELLA

Catapúm, pim pam pum
trae la catapulta, Mario
traed las malditas balistas
y destrocemos esas torres
y dejémoslas hechas trizas.

Venga, venga, venga, Verdenio
carga pétreos proyectiles
ingentes, pesados, plomizos.
¿Veinte minas, treinta? ¿Qué, cómo treinta?
Un talento, Verdenio
catapúm, pim pam pum
un talento y abatamos por Mercurio
esa asquerosa ratonera.

Catapúm: buen tiro, artillero.
¿Bum, bum? ¿Y qué fue qué fue qué es eso?
Son dos proyectiles que aboyan
la coraza de Mario.
¡Mario, Mario! (Bum, bum... su corazón
que se apaga) ¡Qué venga ya el galeno!

Bum, bum, el general
que dirige el asedio
se da golpes en su casco confundido:
maldita empalizada
dichosos ambracitas
jodidos bárbaros.
¿Cómo el doctor? ¡Más fuego,
artillero! Y de repente zing zing
dos flechas le seccionan todo el cuello.
Curioso: silencioso ruido,
piensa Verdenio.

Y llega César:
oscurece su manto el cielo.
¿Quién está al mando?
Que no quede madera que no arda por completo.
Y que no quede en pie una sola piedra.
Y que no quede blanco alguno vivo.
Y que quede alfombrado con escombros el suelo.

MOVIMIENTO PERPÉTUO

En Madrid-Barajas

Van y vienen, van y vienen, van y vienen
circulan, se mueven y fluyen
se encuentran, se separan, se dividen
cruzan los seres los halles humanos rozando la eterna cantiga
{del tiempo y el espacio

(*topos* y *chronos*, *topos* y *chronos*
topos y *chronos* multiplicando mil veces mil
los lugares, los rostros, las historias
el cíclico gritar de la naturaleza)

y suspiran los viejos
achicando la vida a golpes de contera.
La melodía del movimiento para millares que dulce suena
y que extraña a los oídos de los otros
la partitura.

HÉROE SOFOCLEO

Por última vez entra todo de negro el coro,
pronuncia estos versos:
"El hombre es desgraciado, profundamente triste;
oscila entre locura y valor, como el viento.
Bastaría la luz de un candil o una llama
para eclipsar su imagen de la faz de la tierra.
Cubren de roja sangre gris los dioses sus manos.
¡Pobre mortal, queriendo vivir de amor colmado!
La eterna cadena de muertes familiares
se cumple de generación en generación.
Él lucha, sufre, mide su suerte, en vano intenta
tomar de su destino las riendas... ¡Su destino!
Parece ser destino palabra desmedida
para el que alcanza apenas el título de sombra".
                                    Deja después la escena.

Décadas: Poesía Reunida, 1983-2003

MISIÓN PIONEER X

Enviado por la NASA el 3 de marzo de 1972 en dirección a Aldebarán, en la
constelación de Taurus, el Pioneer X fue el primer objeto artificial que
abandonó el sistema solar. La nave fue contactada por última vez el 23 de
enero de 2003; se encontraba entonces a más de 12.000 millones de kilómetros
de distancia de la tierra

La cápsula del tiempo despegó de la NASA
la cápsula del hombre llevando en sus bodegas
la cápsula al espacio, la cápsula espacial
lamentos computerizados
bellezas informatizadas:
Mozart Einstein Da Vinci, idiomas ciencia Homero
códigos y culturas, comidas e instrucciones.

Eso sí es poesía,
y no estos pobres versos.

Despegó de la NASA la cápsula buscando
el contacto de civilizaciones:
otro doce de octubre
de mil cuatrocientos noventa y dos.
¿Conseguirá explicar a toda la galaxia
qué es un río, qué un hijo, una lágrima, un beso?
¿Qué es el mar y la guerra
y la paleta infinita del cielo?

Eso sí es poesía,
y no estos pobres versos.

35

Como la punta de un diamante
va dispuesta a grabar la piel del universo
perpetuando la llamada
la cápsula del tiempo.
Hasta que sangren ambas:
la cápsula maldita y la espalda celeste del cosmos.

Eso sí es poesía,
y no estos pobres versos.

Multiplicar contactos es el signo del miedo:
otro doce de octubre nos espera
otro once de septiembre
otro choque estelar de civilizaciones.
Girará recorriendo
inviernos de negrura
cañadas de negrura
años luz de negrura
la cápsula del tiempo.
Girará, girará, olvidará el verano
perdida en el vacío
la cápsula del hombre nuevo
del hombre-hombre eternamente
gran bastón tecnológico
poesía del tiempo y del espacio eternos.

Eso sí es poesía (ciclón en movimiento)
y no estos pobres versos.

AUSENCIA

*Para E.G., en esos días
que eran nuestros días*

Inmensas olas azucaradas
carbonizan mi llanto
y tu recuerdo sin dobleces
se vuelve crucifixión para mí.
Como un mástil diáfano me elevo
sobre la noche de esparto incendiada
y en ascuas y salvajemente
soy golpeado contra la cubierta
de mi alta nave y contra el mar.
Escribo en mi vela rasgada:
"me golpea el azar cambiante
de un sólido viento indeciso".
Tan sólo cuando te busco y no estás
estoy realmente sumido
en la desesperanza.
Entonces y sólo entonces
me dejaría abrir vivo en canal
por millares de espadas afiladas
si con ello adivinase
mínimamente
tu presencia junto a mí.

LIRAS DEL DESCONSUELO

AMOR es el inicio
Engaños y rutina el resultado:
Del último estropicio
salí crucificado,
una lanza clavada en mi costado.

INÚTIL sacrificio
Vivir el mismo infierno malgastado:
Verdugo como OFICIO
Volviste del pasado
a atormentarte otra vez a mi lado.

Tu recuerdo es cilicio,
pero es mi alma coral amalgamado
arena sin resquicio,
cinc mi cuerpo ASTILLADO:
para ti, metal de olvido engastado.

CIVILIZACIÓN

PíNtamE uNa ciUDad

y NO sAbRás

Hasta dónde podRÁ

mi odio llEGar.

DESPUÉS DEL ESTALLIDO

Suaves mástiles dulces oscilantes
Tras la batalla trazan los amantes
Circuitos acuáticos errantes.
Es el lecho liso mar empedrado
La tela blanca roción es cuadrado.
Un carrusel de silencio envolvente
Y caracolas de luz refulgente
Iluminan y bañan las estrías
De las almas: son esporas vacías
Los seres, proas los miembros varados
Que someten sus impulsos pulsados
(su querencia de barcos nacarados
su pesadez de curva caravela)
hecho el cante antiguo marina estela
navegado ya el rumbo a Puerto-Cuerpo.
Inestable ladera el cuerpo nuestro
(gotas, cambiantes diques, corrosión)
contra perpetuas olas de pasión.

GEOGRAFÍA

I
  S
T
M
O

Es la estrecha lengua de tierra
Que nos une y que nos separa.
Allí dónde convergen nuestras tropas
En tiempos de guerra.
El único canal de comunicación
En tiempos de paz.

MAÑANA

Y quiero que algún día
Cuando levantes la cabeza
Y vuelvas otra vez a mi ventana
Con la esperanza loca
De que te acoja en mis pestañas
Sepas que no estaré ya junto a ti
Porque espero y sé que la nube
Que divide en dos la montaña
Ya duerme.

RETRATO DEL MUNDO

I

Pericia es pericia, y lo demás son coñas. En el difícil arte de soportar al amante, cada gesto cuenta. El fracaso y la angustia tienen mil caras: una palabra mal entonada, una mirada perdida. Un pensamiento a destiempo esbozado. Sufrir, lo que es saber sufrir, sabe sufrir el hombre como nadie: ni el viento aullando ni el sol pariendo ni el mar descargando su ira incontrolable. Algunos poetas lo describieron, y pintores supieron pintarlo. Algunos lo llaman amor, otros condena.

II

Piedras y piedras y piedras y más piedras: son sólo piedras. Míralas, adoptando a gusto del estudioso una posición determinada en el conjunto del trazado arquitectónico, desafiando (multiplicación vertical) al aire, elevándose como una mariposa levanta el vuelo: decidida y aleatoria al mismo tiempo. Forman casas y castillos y conventos y calzadas, y después ciudades y más ciudades que esculpen el mundo a la medida del pensamiento del hombre, manoseando el paisaje como una masa de harina. Y sin embargo sólo son piedras.

III

"La pausa es tan necesaria al camino como a la noche la luna". Eso me dijo aquella hermosa mujer, especie de Calipso engalanada: envolvente, insumisa, inconclusa, displicente. La pausa, como los muros blancos de un patio de escuela, endormecidos por el peso de la cal y por el sopor continuo del sol, puede convertirse en retraso. La pausa, como las ramas ennegrecidas de un bosque calcinado, puede convertirse en tardanza, y después en olvido, y al final en fracaso. La pausa es un oasis, no es el mar invertebrado: eso me enseñó, la astuta Calipso engalanada.

IV

La guerra (galería del dolor, del azar, del horror) en una pincelada: "Olvide el honor y póngase a cubierto. Agáchese, échese por tierra, protéjase de esta lluvia incesante de metralla y de hierro, de este estallar continuo de cuerpos desmembrados, de esta pirotecnia del saber hacer humano, cúbrase de la sangre y del miedo: salve la vida", me dijo el teniente Aranzábal. Estábamos ambos encogidos en una sucia trinchera enfangada, y las salvas de mortero ejecutaban sobre nuestras cabezas una danza atronadora. Segundos después, un obús silbando cortó del cielo el aire ceniciento y fue a caer a su lado, abriéndole en dos el cráneo. Ni aún así, intentando ser cobarde y cobijándose, puede uno esquivar el destino.

V

Anochece: la tarde adquiere perdiendo el ritmo un rojo que hiere y yo la observo quieto caer de rodillas. La noche multiplica el dolor de los mortales. Parece heredera directa de la guerra: a oscuras, todo duele más. El dolor perfora, el insomnio agota. Acupuntura mental, clavos de la memoria. Me duele sentirme vacío, desgarrado por preguntas y sentimientos, nunca hay descanso y sin embargo siempre falta tiempo –y lo perdemos quejándonos-, mi corazón se va haciendo frío y mi alma solitaria, la falta de amor, la falta de tiempo: de condición humano me siento.

TRANSHISPÁNICA

I
COSTAS GALLEGAS

*Para Johann: escrito de vuelta de una de esas
tantas tardes de playa, en Arnela*

Los árboles se encorvan,
envejecen.
Se encorvan como lanzas
de prócer medieval vencido.
Se curvan hasta el agua, se miden con el viento.
Pintan de verde el azul de las costas,
se desdoblan.
Parecen desde el mar denso tapiz de seda
adornando los muros y bóvedas del cielo
de Galicia.
Vigilan el presente, recuerdan mi niñez,
licuada entre la arena de estas playas
desvanecida.
Conocen mi futuro, lo ven desde sus cimas,
desde sus altas copas
lo leen, concentrados lo leían.

II
CAMPO SALMANTINO

Encinar, encinares verdes,
puertos de sombra en el campo doblado
por el peso del sol y del verano.
Encinar, refugio del tiempo,
cruces del pasto castellano
ondulante y austero.
Cuidadosas formas talladas
las perlas parduzcas del llano
encinar de los campos.

III
VISIÓN DEL TORMES

Amanecía.
El Tormes era un espejo reflejando todo el Tormes.
Árboles, aguas e islotes:
espejo y cielo.
Serena imagen del mundo
el Tormes
esa mañana.

IV
CASTILLA

Cantos rodados culminan las calles:
Castilla es casi cielo cobre
-casi catedral cruciforme-
columpiándose sobre un catre,

caudal de piedra y de metal,
de bronce y de escita y de cinc,
costas del Campeador Cid
centro, comarca y capital,

quilla y carena del cosmos hispánico
calafateo calizo que zurce
al cante flamenco el costal cantábrico

cañada de cosas cumplidas
cáliz y cénit de Intraespaña,
cuna y cenizas -es Castilla.

V
GENERALIFE

Se gira, me mira y sonríe.
Sigo el trazado del mosaico
vegetal dibujando rondos
geométricos:
esferas, espinas, espacios...
ilusiones falsas, mundanos
arbustos del Generalife.

¿La juventud? Partida en fuga
en algún lugar
buscó los rumores del agua.
Mil miradas que nos acercan
un abismo que nos separa:
la edad, la nobleza, los mapas,
la fuerza oscura de Granada.

VI
ANDALUCÍA ENAMORADA

Para E.
(a saber por donde andará ahora)

Sueños arcanos tienen los olivos,
pecios varados en blancas laderas.
Corre el sol purificando la tierra,
verde y blanco pelaje corroído.

Vuela mi mente negando el olvido:
Sus ojos, sus pestañas, la manera
en que me mira, se calla y me entierra.
Su perfil es la curva de mi sino.

Ahora, sea inalcanzable playa
su cara. Sean caricias sus gestos,
como el mar que se adentra en la montaña.

Y sea todo escondido aguacero
que empapa de sal el campo del alma.
Mañana el olivo será recuerdo.

VII
MEDITERRÁNEO

Ella no ama la lluvia.
Ella es las aguas y el fuego
de un mar cálido que conozco apenas.
Permanece intocable
y posee la fuerza de la tierra
acostumbrada a ver
como el girar del sol se hace lento.
El instante en que tarda en caer la hoja:
ese es el nuestro.
Trato de convencerla
pero ella es lastre de ancla transparente:
un golpe de viento, un canto de arena
(yo lo sé que él existe, lo presiento).
Ella no ama la lluvia
Y la lluvia no se acostumbra a ella.

VIII
MUÑEIRA NEGRA
(Lembranza do Prestige)

*Adicado a Moncho Faílde, limpiador comprometido,
conciencia escura da miña identidade galega*

Ya cayeron los caballos los caballos negros negros
sobre la costa.
Con petróleo llegan
arrasándolo todo:
vida y dunas, aves vida, vida y rocas, vida, vida:
el pan del mar.
Chapapote los llaman
pero es sólo un fantasma.
Son el zumo del negocio de los hombres ricos ricos
pobres de espíritu.
Ya cayeron los caballos negros,
cayeron otra vez.

Praia de Lira, presente
Cíes, Muxía...
Porto do Son, presente
Laxe, Carnota...
Praia do Rostro, presente
Ferrol, Malpica...

Illas Sisargas, presente
Fisterra, Aguiño...
Ya cayeron los negros caballos
y por muchos años caerán
cayendo seguirán
sobre estas tierras.

Ya cayeron los caballos: de los negros, los más negros.
Ver no dejan de la espuma los lamentos blancos blancos
sobre la arena.
Desde las cumbres del verde Atlántico
o del sólido Pindo
ganas dan de tirarse.
El bordado de la tela del mar suave no es de seda
ni terciopelo.
El espolio del mar de todos:
sortilegio de vida dios dador destrozado.
Ya cayeron los caballos negros
negros caballos como la espuma.

HOMBRE SOLITARIO

> "Anda serio ese hombre / anda por dentro"
> (Alberti, *Entre el clavel y la espada*)

Camina
despacio
el hombre solitario.
Pasea por la alameda
se sienta a escuchar a un árbol
fija la vista en un niño
-en él ve los mil instantes vividos
de la naturaleza-.

Quién recorriera
la biblioteca de sus pensamientos.
Quién leyera su vida
quién cruzara su mente
de sueños de mercurio y de noches de litio.
Y quién supiera a quién dedica
sus breves risas de ámbar
y sus suspiros.

Camina,
ve caer la calima
el hombre solitario.
En su puño cerrado
remueven
sus dedos
la arena de los días.

UNICIDAD DE LAS COSAS

A Hugo, compañero de fatigas, al que he dejado desamparado
más de lo debido y querido menos de lo obligado

Infancia:
La sirena de un mercante
En el medio de la noche
Anunciando su salida
O su arribaje.

Fatigado por el asma
Respira dificultades
En la litera de abajo
Mi hermano pequeño.

Ojalá todo fuera mil ciclos
-Como la piedra de Sísifo-
Inagotables.
Y escucharía de nuevo
A mi hermano en este instante
Y al mismo buque esta noche
Rodando en la distancia.

FIDE ET AMORE
(BY FAITH & LOVE)

Me hundes.
Y, pese a todo,
Una extraña pasión envolvente me alienta
A quemarme de nuevo
En la condena eterna de olas irretornables
En la linterna que alumbra nuestros cuerpos olvidados
A pudrirme de nuevo
En el castigo infinito de tus párpados sin fondo
(Oscuros toscos estanques que no alcanzo a comprender)
A ensartarme de nuevo
En las espigas de vértice agudo
Que cubren los campos dorados.

ELLA CRUZA EL SOL

En el umbral del blanco sol varada
Su dulce voz perfora las estrellas
Atravesándolas de canto a canto
De principio a fin
Calma y mece la tierra taladrada
Como la madre que acaricia a un niño
Y besándole el pelo no lo abraza
Sana e indistintamente le hace daño
Con la eterna paciencia de una diosa
De fin a principio.

35 AÑOS

Estoy cansado.
Como las piedras de la orilla,
estoy gastado
patéticamente.
Cascada eterna liberada,
voy y me desgrano
crepito, muero,
cascada eterna que desliza
toboganes de pena.
Estoy cansado.
Catódico viajero de la miseria toda
dos veces fracaso:
dos veces fracaso soy, soy fracaso veces dos.
El mapa cíclico de mi alma:
pinos desperdigados, mareas retrasadas
nocturnos parajes del Bosco.
La lluvia me divide, la vida me derrota
el cansancio me vence.
Cataratas perfectas
de noches de insominio.
Cielo verde azulino de un amanecer triste:
crucifícame ya.

CERO ETERNO

Se abren las puertas de un nuevo mundo
cada vez que me hundo en mis pesares.
Bailan serpientes, soplan los vientos:
tiemblo, viro, sufro, lloro,
como proa de una antigua nave
que encarase un temporal.

Sigue mi mente viajes eternos:
olvida que he vivido, olvida que estoy vivo.
En desmedida batalla sin rumbo
hace tiempo que mi alma vuelta al cielo
todo control ha perdido
en medio del vendaval.

TEMPUS FUGIT

Escarcha de los días
escarcha
mientes
mientes
pasas pesas caes corrompes
amaneces despacio
te eclipsas escarcha divina
en mil noches de ausencia de Odisea
tocas las cosas con mano de santo
obrando un confuso milagro:
tú te posas plomiza
yo me desintegro liviano
(yo, los míos, la vida: desintegrados).
Escarcha de los necios años
polvo de días lentos con prisas apurados
multiplicación del olvido
marchita escarcha que achicas las almas
confusión-madre
escarcha
mientes.

ILUSTRACIONES

Jaime Ocaña (Jaime A. González Ocaña - La Coruña, 1967) cursó estudios de Clásicas y Lingüística en las universidades de Santiago de Compostela (España) y Rennes 2 Haute-Bretagne (Francia), culminando dichos estudios con un doctorado en Lingüística Griega por la Universidad de Rennes 2 (2002).

Ha ejercido como profesor de lengua, literatura y civilización hispánica en las universidades de Bretagne-Sud (Lorient, Francia) y Georgia (Athens, Estados Unidos), entre otros centros docentes. Ha publicado trabajos de investigación y crítica literaria sobre la obra de autores clásicos e hispánicos (entre otros Homero, Herodoto, Cervantes, Lorca, José Martí y Maquiavelo).

En la actualidad reside en las afueras de Nueva York con su mujer y sus dos hijos. Es el jefe del Departamento de Clásicas y Lenguas Modernas en Brunswick School (Greenwich, CT). Visita su blog en https://laberintodelamente.wordpress.com. Dirígele correspondencia a delcrater_ediciones@yahoo.com.

EDICIONES DEL CRÁTER

Lightning Source UK Ltd.
Milton Keynes UK
UKHW020958101019
351279UK00010B/135/P

9 780997 175301